D1105889

Pour Camille

© 2016, *l'école des loisirs*, Paris

Loi 49956 du 16 juillet 1949,
sur les publications destinées à la jeunesse.
Dépôt légal : mars 2016
ISBN 978-2-211-22555-7

Mise en pages : *Architexte*, Bruxelles
Photogravure : *Media Process*, Bruxelles
Imprimé en Belgique par *Daneels*

# Émile Jadoul

# Dans mes bras

Pastel

*l'école des loisirs*

Ça y est ! Marcel,
le petit frère de Léon,
est arrivé.

Marcel est bien dans son petit lit,
juste à sa taille.

Il va rester dedans pour toujours !
D'accord ? dit Léon.

Oooh, pas toujours. Il va grandir, sourit Maman Pingouin.

LÉON

Mais on va le mettre où,
alors ? s'inquiète Léon.

Pas dans ma chambre,
c'est ma chambre
à moi !

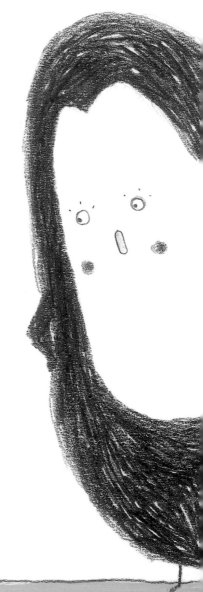

Pas sur tes genoux.
Il y a juste la place pour moi
quand tu me racontes
une histoire.

Tu sais Maman Pingouin,
tes bras sont bien trop grands
pour un bébé pingouin.

Mmmm…
ils sont juste à ma taille
pour un câlin, dit Léon.

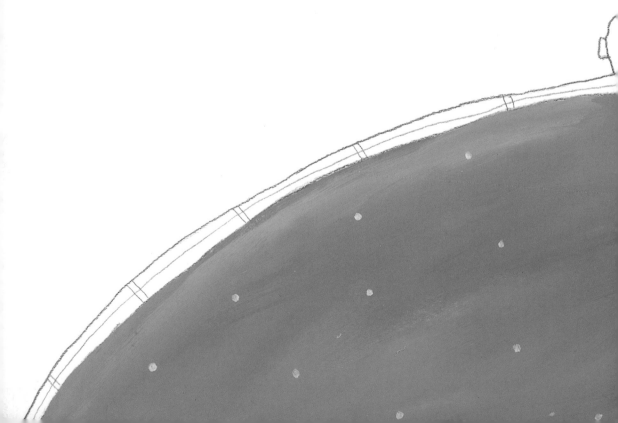

Et sur les épaules de mon papa,
oh là là, c'est bien trop haut
pour un tout petit bébé
pingouin.

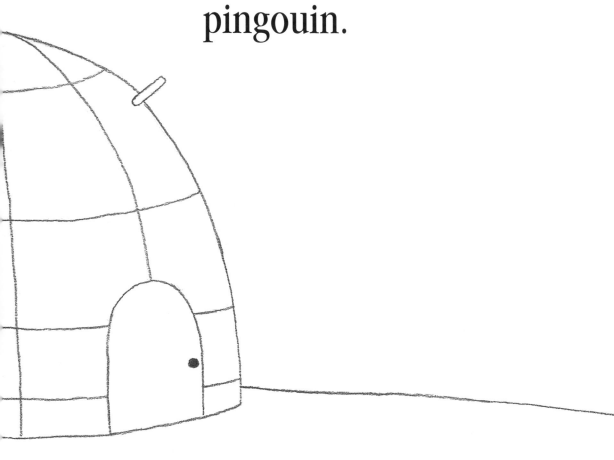

Regardez ! Papa d'un côté,
Maman de l'autre,

et moi au milieu…
Il n'y a plus de place !

Vraiment, je ne sais pas
où on va le mettre, ce bébé
pingouin… insiste Léon.

Soudain, Marcel se réveille.

Léon réfléchit. Oh, j'ai trouvé
où on va installer Marcel !

# Dans mes bras…

Ils sont juste assez grands
pour un bébé pingouin !